阆苑仙境话生肖

摄影 潘明清

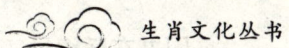
生肖文化丛书

# 生肖你我她

SHENGXIAO NI WO TA　　张瀚文　罗修德　著

解读你的运程
解读我的团队
解读她的姻缘

三秦出版社

## 图书在版编目（CIP）数据

阆苑仙境话生肖/张继军，罗修德著. —西安：三秦出版社，2009.9

（生肖文化丛书）

ISBN 978-7-80736-695-9

Ⅰ.阆... Ⅱ.①张... ②罗... Ⅲ.十二生肖-通俗读物 Ⅳ.K892.21-49

中国版本图书馆CIP数据核字（2009）第168388号

---

生肖文化丛书

### 生肖你我她——阆苑仙境话生肖

张继军　罗修德　著

| | |
|---|---|
| 出版发行 | 三秦出版社 |
| | 新华书店经销 |
| 社　　址 | 西安市北大街147号 |
| 发行电话 | （029）87205121 |
| 垂询电话 | （0817）6225777 |
| 邮政编码 | 710003 |
| 印　　刷 | 蓝田立新印务有限公司 |
| 开　　本 | 720×1000　1/32 |
| 印　　张 | 36 |
| 字　　数 | 66千字 |
| 版　　次 | 2009年12月第2版 |
| | 2011年10月第3次印刷 |
| 印　　数 | 12501-24900套 |
| 标准书号 | ISBN 978-7-80736-695-9 |
| 单册定价 | 6.50元 |
| 全套定价 | 78.00元 |
| 网　　址 | WWW.sqcbs.com |

# 引　言

　　盛唐双奇袁天罡、李淳风晚年退隐于被称为人间仙境的四川阆中，常常一起谈风论水推测后世，并遗存有大量的天象和风水方面的书籍，尤以《推背图》久负盛名。这套小书是风水馆张瀚文馆长和罗修德风水大师根据这些遗存，经过多年的研究编写而成的。

　　阴历是世界上流传最久的历法。黄帝在位61年时，产生了一道十二宫历法的首轮称为甲子，每一甲子为期60年，由5个分期构成，每个分期12年，我们称为五子运。每一年都以一个"动物符"作标记，我们称之为生肖。关于十二生肖源于何时及其排列，有各种传说，至今难以细考。这类故事，或似开心解闷的笑谈，或似贬恶扬善的寓言,文学成分较浓。

古代也有这样的传说,玉皇大帝99岁寿辰时,王母娘娘在阆苑仙境为他举行盛大的宴会,天上人间各路神仙纷纷前来贺寿,最先到来的动物神是老鼠,接着是牛、虎、兔、龙、蛇、马、羊、猴、鸡、狗、猪。玉皇大帝就按这些动物到来的先后顺序分别封以不同的年号,配以不同的时辰,作为对它们的赏赐。从此,"鼠咬天开"后的小老鼠就幸运地坐上了十二生肖的头把交椅,新一轮的五子运也从鼠年开始了。

代表生肖的动物符分别与自然界中的木、火、土、金、水五行相对应。五行又按磁场的正负极分为两极,即中国人所谓的阴和阳。

在阴历中,每天分为12更,每种动物符代表1更,昼始于子夜11时。阴历中的动物符对人的影响也是十分强烈的。属相中的12种动物分为阴阳两类。鼠、虎、龙、马、猴、狗属阳性，牛、兔、蛇、羊、鸡、猪属阴性。

12种动物属相除了其表示年的五行外，还有其固定的五行与季节对应。猪、鼠、牛为冬天，方位北方，季节色为蓝色，五行属水；虎、兔、龙为春天，方位东方，季节色为绿色，五行属木；蛇、马、羊为夏天，方位南方，季节色为红色，五行属火；猴、鸡、狗为秋天，方位西方，季节色为黄色，五行属金。

古代圣贤说，土生万物，因为它是金、木、水、火四行合一的象征，便不能与十二属相中任何动物相对应。有些算命人士指土为本行，从而以牛代水、龙代木、羊代火、狗代金。

在没有现代方法观测气象的时代，中国人便利用了阴历来预测雨雪到来的季节。时至今日，人们仍然相信阴历的真实可靠性。人们会发现，如果某年五行标志为水，那么这一年很可能会发生决堤或洪灾，这取决于阴阳两极哪个的影响力更强些。

你也许会对春季的第一天感兴趣,皇历中谈到,这一天鸡生的蛋能立起来,请你不妨试一试。如果有缘,你会见证的。阴历中春季到来的这一天称为"立春",通常是阳历2月4日或5日。阴历节气是变化无常的,某些阴历年中也许会出现两次立春的情况,而某些阴历年根本不存在立春。中国的占卜者们称无立春之年为"盲年",因为人们"看"不到春季的第一天。因此,在这样的年份里是忌讳娶亲的。

在这本小书中,你会发现、知晓深藏于你内心和他人内心深处的秘密。这样,你不仅会了解自己,而且还会知道你个人与事业的关系,知晓生活中会发生的事情。

同时这本小书能帮助你从另外一个角度观察自己,观察你宜与周围哪些人组成最好的朋友或团队,观察宜与哪个属相的人与你结合的婚姻是幸福美满的。它会使你理解主宰你的"狗"为什么会偶尔让你表现出急躁，属马的人易变、不安静特点的由来，以及为什么属龙的朋友会盛气凌人、花钱讲排场，还有蛇年出生的人为什么会有多疑的性格。你也许会吃惊地发现，有些工匠善于修理各种各样的东西，是因为他们出生于使他们聪明智慧的猴年。另外你还会看到那些动作迟缓、自信甚至保守的银行家们多是出生在充满自信的牛年。

也许这本书能让你进入理解命运和造化的神秘之门，甚至可以帮你作出重大决定。人生路上你会倾听蛇的机敏语言、寻求羊的温柔与同情心、获得猴的聪明智慧、共享马的快乐、欣赏兔的善交能力、用狗的忠诚交朋友、依靠虎的热情点燃生命之火、以鼠的勇于进取去完成伟业……

愿《生肖你我她》成为你为人处世的指南、美满婚姻的处方、幸福生活的源泉。

春

| 生肖<br>五子運 | 鼠 | 牛 | 虎 | 兔 | 龍 | 蛇 | 馬 | 羊 | 猴 | 雞 | 狗 | 豬 |
|---|---|---|---|---|---|---|---|---|---|---|---|---|
| 水運 | 甲子 | 乙丑 | 丙寅 | 丁卯 | 戊辰 | 己巳 | 庚午 | 辛未 | 壬申 | 癸酉 | 甲戌 | 乙亥 |
| 火運 | 丙子 | 丁丑 | 戊寅 | 己卯 | 庚辰 | 辛巳 | 壬午 | 癸未 | 甲申 | 乙酉 | 丙戌 | 丁亥 |
| 木運 | 戊子 | 己丑 | 庚寅 | 辛卯 | 壬辰 | 癸巳 | 甲午 | 乙未 | 丙申 | 丁酉 | 戊戌 | 己亥 |
| 金運 | 庚子 | 辛丑 | 壬寅 | 癸卯 | 甲辰 | 乙巳 | 丙午 | 丁未 | 戊申 | 己酉 | 庚戌 | 辛亥 |
| 土運 | 壬子 | 癸丑 | 甲寅 | 乙卯 | 丙辰 | 丁巳 | 戊午 | 己未 | 庚申 | 辛酉 | 壬戌 | 癸亥 |

冬　　夏

秋

# 目　录

寅　虎 …………………………… 1

虎　年 …………………………… 3

属虎人的性格 …………………… 5

属虎的儿童 ……………………… 11

属虎人的起名 …………………… 14

属虎人的五种类型 ……………… 16

属虎人与时辰的对应关系 ……… 22

属虎人在其他生肖年中的运程 ………… 35

属虎人生月趣解 ………………… 48

属虎人生日趣解 ………………… 52

属虎人的姻缘 …………………… 59

吉祥四季　平安一生 …………… 84

阆中风水博物馆 ………………… 86

# 寅 虎

(圆明园十二生肖铜兽首)

# 虎

我是使人快乐的狂人
整个世界都是我的舞台
我的行踪捉摸不定
我做着本做不到的事情
尝试着未被尝试的一切
我和着生活的旋津漫舞
开心又快乐
跟我一起参加骑马比赛吧
看那万紫千红闪烁的灯光
所有的人都拥戴我为
无与伦比的王者
我是——虎

虎年

这一年是爆炸性的一年，本年的序幕在轰轰烈烈中拉开，这年是战争、争执和灾难的象征，搞外交很艰难，但也是大胆尝试的一年。

任何事都不会在战战兢兢中完成，而会被推到极点。财富易得又易失。如果你想投机，就得下大赌注，但要明白形势对你是不利的。

这里结成的友谊或合资经营等需要互相信任和合作的事情，变得不堪一击。然而，强大的、朝气蓬勃的虎年可以用来挽救濒于失败的事业，它能给倒霉的商业冒险及每况愈下的经济注入新的生命和活力。这年将会发生巨大变化，是一个大胆的、有争论的、有思潮的一年。

尽管他有消极的一面，但我们必须认识到它可能有净化一切的作用。就像从矿石中提炼贵重金属一样，虎年可能使我们的精华被提炼出来。

# 属虎人的性格

在东方，老虎象征着权力、热情和大胆。他是一个非凡的引人注目并难以捉摸的人物。他受到大家的敬畏，使人害怕他就像害怕真虎一样。他能使家庭避开三个大灾难——火、贼和鬼。假如你对他生龙活虎的性格能习惯，那么在虎的周围会很幸运。属虎的人会成为人们注意的中心。

由于他从来不知疲倦并有些鲁莽，因此通常行动很快，他生性多疑，摇摆不定，常作出草率的决定，他很难信任其他人或平息自己的感情。他决不把事情憋在心里，同时，他又是一个诚实、慷慨的人，而且有奇妙的幽默感。

感情丰富的属虎人在年轻时候的生活通常是放荡不羁的，有些人在以后也改变不了。他总想表现自己，这就形成了他的个性。如果遇到选举或对传统方式进行挑战的机会，他将全力参加。如果说这是缺点，有谁会因为这些而减少对他的爱呢？不，十有八九会为之喝彩。我们也许不赞同他的鲁莽，并为他疯狂而大胆的行为吃惊，但我们又不会忘记为他祈祷，他的成功就如同我们自己的成功。

当他发怒的时候最好是把他的手束缚起来，等他喊得口干舌燥，把对你的反感全部发泄出来后，他会检查自己的损人利己主义。从而，他会吻你、拥抱你，让你发泄，使破镜重圆。在把你打发走后，他会精确地按他原先的计划去做。不管属虎人有多么潦倒，所遭受的打击和失望有多深，他是不会气馁的。哪怕只剩下一星火花，他也要用它重新点燃生命之火，那永不熄灭的精神能使他再复活，变得可爱起来。

在遇到压力时，他可能会有依赖性，不过虎还是以他那统治大众的姿态而著称。有些属虎人是温和的、敏感的和有同情心的，但有些则是顽固的、自私不讲理的。

属虎的女士是迷人的。她能自然地把社会生活和家庭生活结合起来。活泼、无敌意，像一只甜甜的小猫，她的举动受到人们的好评。

她表达能力强，自由开放。喜欢赶时髦，能花几小时试验新发型、化妆和试衣服。她常常因为自己没有衣服而感到伤心，实际上她的时髦女装就像蓝领工作服一样多。要是有舞台，她每次都会去玩个够。她极适合与孩子在一起。会讲好听的故事、模仿小丑、做鬼脸或给人以美丽的微笑。她会放开束缚孩子们的一些规矩，使他们永远喜欢她。

像龙和鸡一样，虎的本性极利己。如果他的私心受到伤害，那么，金钱、权力和名声对他来说都是无所谓的，在受到挫折时，他会变成你所遇到的最小气、最卑劣的暴徒。复仇心会使他做任何事，甚至把孩子翻倒。你的怠慢会使他激怒，尽管他能在大事面前沉住气，千万记住：他痛恨被人轻视。

属虎的人在生活中第一个阶段也许是最好的。在他成长初年，他会学着控制自己的火爆脾气，这种脾气随时会使他毁灭。在他的青年和壮年时期，会埋头追求成功并完成他的梦想。

总之，属虎的人生活是反复无常的，时而开怀大笑，时而又泪流满面，有时还会感到很失望，本书所提及的所有感情他都会有。我们不需可怜他，他也不需你这样做。如果允许他完全按他所选择的方式生活，那么，生活会给他带来无限的乐趣，他是最大的乐天派，时刻迎接新的挑战。

属虎人和属猪人一起会生活得很好。诚实、好性格的属猪人会弥补属虎人的鲁莽，给他以稳定和安全的情绪。属虎人与讲求实际的属狗人一起合作得很好，属狗人会忠实于属虎人，不仅能约束他，也能使他变得理智。

很吸引人并实事求是的属马人也是属虎人的伙伴。他们对人生而言都有热情，都很活

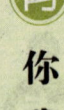

跃。但迅速而捷敏的属马人能比性情鲁莽的属虎人先一步感到危险，因而属虎人会受益于他伙伴精细的发现力。

属虎人与出生在羊年、鸡年的人或另一个属虎人相处不会感到困难。属虎人永远不要做一件事：那就是向牛年出生的权威人士挑战，这是一个严肃的、不妥协的对手，他不容许属虎人的胡作非为。在敌对中，牛有可能把虎置之于死地。

同样，属蛇人与属虎人的联盟是不可取的，两者唯一的共性是具有多疑的本性。但属蛇人是温和的、冷静的、胆小的，而属虎人则会大声指责别人，他们是不会和谐的。

最后，属猴人是属虎人不可捉摸的敌手，这个聪明的小顽童无休止地取笑属虎人，而属虎人只会发脾气，结果还是自己愚弄自己。属猴人的诡计多端会使属虎人有所领教，他在对付属猴人的过程中可能会吃苦头。

# 属虎的儿童

虎孩子能给人们带来许多乐趣，同时也很淘气。他生龙活虎，显得很活跃。他能推敲事物的本质，甚至一个非常温和的孩子也会精确地知道哪里在打架，并能径直找到那里。他是一个迷人的、开朗的、很自信的饶舌者。他从不退缩，他那不满足的好奇心和爱问问题的性格会使他对一切会动的东西从不放过，这会使他陷入困境。他喜欢蹦跳嬉戏、大嚷大叫和做粗野的游戏。

像属龙的孩子一样，他也可能会欺负那些不太好斗的孩子，使他们屈服。但人们还是很自然地被他那热烈、深情和好交际的性格所吸引。

属虎的孩子会很直率地表达他的感情。他将不得不听取关于时局发展的意见，他会毫不犹豫地发表自己的看法。他不喜欢有人对他保密，他也不对别人保密。

他不能抑制感情，当某事使他烦恼时，他马上就会感觉到。可以肯定，他有足够发泄怨恨的渠道。

如果属虎人的武断没有被制止，他可能会支配他的父母，变成一个可怕的小家伙。他应及早地学会控制自己爱冲动的性格，听取别人的意见。他时常要试着越过你给他规定的界限，否则他就不是属虎的。要使他服从命令，绝不是件容易的事。

然而，如果对他给予适当的纪律约束，与爱、热情和充分理解并施，那么，没有人能像小老虎那样自动地承担责任。在他周围生活也许并不顺利，但没有他就会感到太空虚。拥有属虎的孩子本身就是一种奖赏。

# 属虎人的起名

叫什么名字好呢？

鼠牛兔龙蛇马羊猴鸡狗猪

取名宜有"山"字，雄霸山林，智勇双全，福寿兴家；有"玉"字，英俊才人，多才巧智；有"金""木""衣""氵"字，温和贤淑，名利双收，环境良好；有"月""犭""马"字，义利分明，操守廉正，克己助人；有"日""火"字，性刚果断，幼年不顺或忧心劳神；有"田""口""儿"字，不利家庭，晚婚，晚得子，不大吉；有"系""石""刀""字""力""血""弓""父""足"字，多有不顺，忌车怕水或不利健康。

# 属虎的人的五种类型

### 金虎——1950 年　2010 年　2070 年

这绝不是沉默寡言的人，他肯定是一个积极的、好斗的并充满热情的人，他或许热爱艺术。他很有魄力，不会没有人注意他。由于以自我为中心，又爱炫耀自己，当他受到正确方式启发时，会是个有竞争性的、不知疲倦的工作者。他会以直接的或激进的方式看待问题，并从不怀疑他想要完成的事。问题是他想要的太多、太快，对期望的结果倾向于过分乐观。

金要素与他天生的阴性属相结合，塑造了一个行动迅速、非正统和激进的人。他对自己的愿望坚定不移，在前进的路上，不得不得罪几个人。他很容易受好的或坏的言行影响，并乐于采取独立行动，因为他不喜欢自由受到削弱。

## 水虎——1902年 1962年 2022年

这是一种思想解放型的人,他总倾向于新思想、新观念。他也有客观看问题的天赋,因为水要素与他的阴性属相结合赋予了他安静的性格。他是一个高尚的、极好的真正裁决者,因为他能联系到其他人的感觉来考虑问题。他很敏锐,并且具有善交际的才能,很适于公共关系工作。

这是一种更现实的人,他熟知人们的脉搏,懂得怎样应付事情。他的评价很少出错。他的脑力超出一般人,但有时也拖拖拉拉,浪费宝贵的时间。不过他比其他的虎更少冲动,因为他能控制感情并集中精力从事他致力的事业。

## 木虎——1914年 1974年 2034年

这是一种能容忍型的人。他以实际的、公正的眼光去评价形势。他的观点是民主的，懂得与人合作能更快提高自己的重要性。他吸引许多朋友和支持者，与各行业的人打成一片。

木的要素赋予他平静、和蔼可亲的性格。他的魄力、创新精神非常有益于集体事业。他具有团结意见不同的人的诀窍。他多半是忠实于自己的，对他来说谁离开他都没有关系。他会祝你走好运，并及时找人替代你的工作。

木虎在五种属虎人中不是敏锐型的，他也许只喜欢注意事物的表面，维持事物表面的程序。实际上，他缺乏对事物深度的认识和长期的控制手段。他精于给别人干活和能够熟练地指挥他人为其所用。由于他的属相缺乏自我约束的能力，他不应着手于超过自己能力限度的事情，但让他承认他的能力限度是很难的。

## 火虎——1926年 1986年 2046年

这种人很难保存住热情无限的能量。他总是乐于活动，东游西窜。他生活无常，只关心目前的事。他是独立的、不落俗套的，而且举动很难令人预测。人们唯一可以肯定的是，只要他一行动，就会引人注目，很具影响力。火要素使他更富于表现力，这种人从不忘记给他所追求的人留下印象，或者把他的惊人活动转移到他决定从事的事业中去。

他经常寻找能把他那强有力的能量和灵感转化成行动的机会。有时，他是一个彻头彻尾的戏剧性人物。由于他的宽宏大量，他比其他属虎者更具有领导风度。他认为自己所做的一切都是值得的、绝对必要的，所以你别想告诉他应该怎么做。他是一个彻底的乐观主义者，不在乎世界末日的到来。他威严、雄壮、开诚布公。火虎对生活中的一切都是敏锐的，他要插手一切事情，并掺入个人感情。

## 土虎——1938年 1998年 2058年

这种人具有冷静的、负责的性格。他所做的事情一般是可行的。他不会匆匆做出结论。他高举公正、平等的旗帜。

这种人比其他属虎人稳重，因为土要素赋予他较长时间的注意力，能使他勤奋地专心于他的事业并不会感到烦躁，虽然他不像其他属虎人那样英明、果断，但总的来说他头脑清楚、理智，他看问题的眼光很现实，很少让感情遮住视线。

他是个非常实用的人，建立的关系不是靠个人或性格的吸引，而是基于实用观点。他是个有知识、谨慎小心、不胆大妄为的人。他会把他的知识和才能应用于他所熟悉的、能获得最大收获的地方。

有时他会变得非常骄傲，不敏感，特别是当他陷入个人的圈子而对其他事情不能识别的时候。这种人从不追求豪放不羁的生活。

# 属虎人与时辰的对应关系

## 子时出生（鼠时辰）
## ——午夜11时至凌晨1时

是个性格可爱而又头脑发热的人。

他可能是个好斗殴的人，

仅仅为了享受以后与你友好相处的快乐。

如果他能把住金钱关，

倒也是不错的事情。

丑时出生（牛时辰）

——凌晨1时至3时

意志坚强而又好冲动，
并对未来充满希望。
牛时辰或许赋予他独立约束自己的能力，
所以他不会突然变得勃然大怒，
具有比较沉着的性格。

## 寅时出生（虎时辰）
## ——凌晨3时至5时

所有牙齿和利爪都会暴露出来，

非常快活，

有时喜怒无常。

你想找一个使你激动的人吗？

——他就是

卯时出生（兔时辰）

——早晨 5 时至 7 时

平静安详，

但他心中的火绝没有熄灭。

兔时辰可以抑制他的鲁莽和急躁，

结果使他做出较好的决定，

可以避免麻烦。

## 辰时出生（龙时辰）
## ——早晨7时至9时

为了更高的目标而非常努力。
龙时辰加重了他的私心，
如果他不再疑神疑鬼，
他将是一个极好的领导者。

**巳时出生（蛇时辰）**

——上午9时至11时

也许蛇能教会虎把嘴巴闭住，

如果他能跟随蛇的摆动，

不在谈判中发脾气，

那么他将获利。

### 午时出生（马时辰）
### ——上午11时至下午1时

马时辰会使属虎人更加实际，

精于算计，

好冒险。

但他们的结合是两种自由幻想的属相结合物，

因此他缺乏真正的责任感。

**未时出生（羊时辰）**
**——下午1时至3时**

安静，
有敏锐的观察力，
但又是个嫉妒心和占有欲很强的人。
如果羊能使他好斗性格得以缓和，
使其艺术得到发展，
他将是一个可爱的人。

## 申时出生（猴时辰）
## ——下午3时至5时

文武双全。
如果他能文能武才干均衡地发展，
那么这个人的前途不可估量。

**酉时出生(鸡时辰)**
**——下午5时至7时**

具有迷人的性格。
闹事的虎与管事的鸡结合,
不论什么事都逃不脱他的手心,
他会坚持让你听取他的意见,
并迫使你做出选择。

## 戌时出生（狗时辰）
## ——晚7时至9时

狗的属性使他变得有理想并注重合作。

光明磊落的狗能使他不那么凶恶，

但他的口舌会比刀子还锋利。

## 亥时出生（猪时辰）
## ——晚 9 时至 11 时

好冲动、天真。

只要他得到所需要的东西就会快乐而满足。

在压力下他也会进行报复。

属虎人在其他生肖年中的运程

### 鼠 年

对虎来说不大走运,
买卖很困难,他可能缺钱,
或者钱被人扣压。
如果他谨慎、耐心,
也只能得到一些报答。
他应避免冲动,
观点要保守一点。

## 牛 年

多种因素交错的一年。
争吵和误解产生于固执。
这时他会感到灰心丧气，
因为他被权威人士阻碍而不能走自己的路。
切记要克制一下自己难以约束的性格，
如能忍到年底不发作，
麻烦会自行消失。

## 虎 年

比较好的一年。

在他需要帮助的时候会有人帮助他,

他不应冒险,

因为事情也许变得对他不利。

他不会生大病,

不会遇到大的变动。

这一年不可能节约,

也许会被迫花一些钱。

## 兔　年

比往年要快乐些,
有好消息来到,
他的爱情和买卖又红火起来。
在前进的道路上还会有障碍,
但他能很容易地克服这些。
总而言之,
他对所取得的成绩会很满意。

## 龙 年

这一年没有太多的事情等待他。

他会发现很难筹款,

会受其他人影响去进行不明智的投资,

可能会发生一些不愉快的事,

比如离开他所爱的人或与朋友散伙。

他会感到很难适应发生的变化,

甚至对他有好处的事情也很难适应。

## 蛇 年

较好的一年,

看不出会有什么损失,

也没有很多赚钱的机会。

如果能够谨慎小心,

不卷入别人的事情中去,

他的生活可能是平静的。

他的进步是稳定的很少有疾病,

他的失望大部分来源于相反性别的人。

## 马 年

非常好、

非常快乐的一年。

他很顺利,

等待他的是提升和被社会承认,

这一年很容易赚钱,

积蓄起钱财或收到额外的收入。

由于家里有好消息,

需要举办庆祝活动。

## 羊 年

虽然所遇到的问题会占去他很多时间，

但这一年还是不错的。

谈判、家中口角和工作的紧张使他松弛不下来。

他应去度假，

尽管他会感到经济上有困难，

还会丢失一些个人物品，

但可以把它看做是破财免灾。

这年不会有很大的灾难。

### 猴 年

是艰难的一年。

使人激怒的事和挫折考验着他的忍耐力。

他不应该慷慨陈词地发表反对意见,

应避免可能会导致的诉讼案件和敌对行为。

他会比平常更多地请客或旅行,

并会被迫妥协。

**鸡 年**

适中的一年，
不必过分焦急，
那些使他烦恼的问题大部分会得以解决。
他会在最后时刻，
得到来自意想不到的地方或朋友的帮助。

## 狗 年

这一年会免于严重危险,
然而,
不得不为成功而努力工作,
并感到疲劳和孤独。
不过他还是走运的,
能完成他的计划,
因为有影响的人物支持着他。

## 猪 年

这一年必须克制乱花钱的习惯。
因为年初到来的繁荣不会持续太久。
他要对新同事或新朋友有所警惕,
也不要冒风险进行很大投资。

# 属虎人生月趣解

### 生于正月

性情豪爽，待人处事重实际不浮夸，为人诚实，但缺少一分通融性。有威严，是社会受敬重人物，在家也十分严谨，子女对他也敬畏三分。

### 生于二月

一副悠然的人生态度，所以对什么都满不在乎，但一做起来，又干劲十足，速度快、效率高，是最典型的固执性格。足智多谋，是成大功立大业的人物。

### 生于三月

有悲天悯人的心肠，为人慈善，是社会福利工作的最佳人选。外柔内刚，做事有条不紊，家庭上也有很大的内助之力，是一生幸福愉快的人。

### 生于四月

有自己的主张，不喜欢随波逐流，是新事物的创造者，多在三十岁左右便可独挡一面。

### 生于五月

这种人聪明伶俐,是同伴中的偶像,也是集会的中心人物,虽不喜爱讲话,可有时一鸣惊人,言必服众,故是一个很出色的领导人才。可惜家庭冷淡。

### 生于六月

有卓越的才能,待人处事有容人之量,也乐于为人服务,虽偶然有过激的做法,但不致招来不良的非议。家庭气氛甚好,晚运佳。

### 生于七月

外貌斯文有礼,待人亦随和大方,不易与人计较,颇得大家好感,成功的人,有成就的人。最得意的是金水行业,定有大作为,幸福可享。

### 生于八月

饱学之士,满腹才华,志在必得,是一个清高脱俗的人物。凡事有愤世嫉俗的想法,总是在人际关系中不结情缘,生活清淡甘甘,怡然自得。

### 生于九月

自信心欠强，所谋不逐。满腹经纶、生不逢时，只思平安为守，不想宏图大展。

### 生于十月

劳碌奔波，行侠仗义，有不平事就看不顺眼，总要插手来管，不计后果。都是见义勇为，英雄侠义所为，甚博别人好感。家庭幸福，子女管理很严。

### 生于十一月

出行艰难，但意志坚强，自视过高总是不将别人放在眼里，有可能因骄所败。夫妻能和谐共处，晚福好。

### 生于十二月

凶多吉少，是一个颇有自信的人，往往对别人估计过低，所以做事会遇到很多对手。积极向上，不怕辛劳，往往容易被他创出新的环境。

# 属虎人生日趣解

### 生于初一

是一个聪明伶俐,机灵活泼,但命大孤单,六亲不靠,有才有艺,初年平淡,中年运大。

### 生于初二

出生逢卯,多学少成,初显较好,中年平平,与人和睦,有贵人助,父兄无靠,白手起家,发达有成。

### 生于初三

此日占辰字,男女多才有智,聪敏贤达,家庭美满、夫妻好合,少年不宜,中年运至,财宽之命。

### 生于初四

占吉格,婚姻不错,男女都可得美贤夫妻,但不能偕老,二十五岁后,幸运通达,左右无难,荣华之命。

### 生于初五

男性清奇,心善存正,家庭缘薄,离家外谋,男女有望,白手起家,终有家成业就时,有得女贵人之命。

### 生于初六

先苦后甜命格,初发辛苦,六亲难靠,自

力奔波，身康体健，夫妻和合，子女双有，老有福享，属荣幸之命。

### 生于初七

男性福禄平平，中年运到，受人关注，功成有望，晚年无亏，女命甚佳，性格贤淑，格在旺夫，寿长年高之人。

### 生于初八

属聪明至贵的吉祥性格，但因意志不坚，料事欠佳，好运空时。但财运当月，如励精图治。名利通达，也是福寿绵运之路。

### 生于初九

男女天性温柔，喜节俭，能刻苦，命在多劳，但富贵在中年后，初显不佳。和合百年，子女不缺，属兴隆之命。

### 生于初十

男尊女贵，有成功之路，有掌印之命。一生贵人多，小人少，谋事不难，家成业就。女主贤惠，人缘佳，寿长年高之人。

### 生于十一

天造男俊，地就美女，温柔贤淑，中年转运，财利不缺，衣食足用，是天生的厚份有福气之命。

## 生于十二

男性祖荫淡薄，宜离故土到外地谋富，可得财禄发达之命；女性多劳心，中年后渐走顺调，是个有福之命。

## 生于十三

男女吉数较大，天赐聪明伶俐，诗书、文礼、艺术上可能有所显露，名利当月。此生不祥，有可能身闲心劳。白手起家，艰苦奋斗，中年好运转，有发达之望。

## 生于十四

属先苦后甜之数，一二运期不太好，有障碍、有难关，六亲无靠，自力辛劳，白手起家，艰苦奋斗，中年好运转，有发达之望。

## 生于十五

运数平格，虽较聪明，但性情过刚，任性固执，与父兄的缘分淡薄，生计要靠自己，独立为好。比上不足比下有余，普通之命。

## 生于十六

男女命在双处双有，社会上有一定名望。天生占桃花格，生活丰富多彩。财运在二十五之间，晚景恐有暗疾，要慎防之。

### 生于十七
属吉凶各半,喜忧平平之格,少事多劳,波澜多见浮沉不定,亲朋无靠。刑克上下,离祖地转吉,发财在外,属于昌盛之命。

### 生于十八
男娶好妻,得力于贤内助,艺高胆大,不服他人,中年前进展不大,得福在晚;女命胜男命,命格在吉,一生无艰险,平安寿长之命。

### 生于十九
天资聪明,机巧过人,重义守信,做事无虑,前半生平平,后半生当有财利可得。女方姻缘美满,子女不缺,初有坎坷,晚福之命。

### 生于二十
性格忠厚,喜好善事,多劳于先期,沉浮不稳,小灾难免,后运转佳,事业有成。喜得内助,晚景无亏,占寿长年高之格。

### 生于二十一
少年如意青年不佳,坎坷多,六亲无靠,财利中晚得。有出外谋利,业功不亏之命。

### 生于二十二
意志不坚,做事不定,换职改业,居所不

定,少年不易,中年运开。夫妻好命,家成业就,勤奋事业,衣食有余。无亏之命。

## 生于二十三

男女命带上吉,为人聪明,心眼好,益助他人,有印有权,财利不薄,前途无缺。大旺之命。

## 生于二十四

男士属先苦后甜之运,三十运转成功在望,名利双有;女士喜静不喜动,子女不孤,得力在女。寿长之命。

## 生于二十五

男性属先苦后甜之运,三十五岁后转运有期成功,六亲少靠,一般中运有转财利渐丰,家成业就。兴旺之命。

## 生于二十六

命格平平,幼年见灾,少年运薄,亲朋难靠,骨肉淡薄,独立生计,早婚刑克,晚婚平稳。

## 生于二十七

姻缘美满,多子多孙,光宗耀祖,早期辛苦,后期多福,是非多见,亲缘冷淡,白手起家,姻缘在中,子女不缺,生时占吉,半生有福。平安之命。

### 生于二十八

性格刚强，谋略十足，事未定时，是非多见，亲缘冷淡，白手起家，姻缘在中，子女不缺，生时占吉，半生有福。平安之命。

### 生于二十九

家庭缘薄，离乡成功，上吉近贵，初显平平，中晚转兴，家道兴隆，财利不缺，男招好妻，女嫁好夫，属于年高多寿之人。

### 生于三十

福多劳少，命在上吉，但祖基浅薄，父母难靠。自力经营才能福禄亨通，夫妻相克，晚婚平静，子女无助。自力之命。

# 属虎人的姻缘

生人之年,属虎的婚姻为(○)最相配,(△)是次等相配,参考时务请注意属相和性别。

　　古人认为，寰形相克图（下图）两端直接对应的属相是排斥的。

天　　　　　　　　　　　地

和　　　　　　　　　　　谐

**虎+鼠**

没有多少共同之处。对喜欢家庭生活、多愁善感的她来说,他太鲁莽、太专横了。她只有在受到赞赏时才会做到周到体贴,但他脾气急躁,总是以自己为中心。他认为她心胸狭窄,有占有欲,对别人太苛求。两人对对方的行为表现总是感到不满。

### 虎+牛

性格相抵触的一对。他是个不信教条的实践主义者，大胆的挑衅者、反叛者。她却遵从习俗，尊重权威，是个守旧的人。他们都倔强，要让他们找到共同的基础来协调对生活的不同看法，实在是太困难了。

### 虎+虎

他们都富有魅力、活泼迷人,都具有反叛的、倔强的性格,感到厌烦时马上会反唇相讥。如果谁的自尊心受到伤害,家庭关系就会变得紧张。两人都需要充分的个人自由。他们都极有幽默感,可以消除二人间的矛盾。他们的家庭预算将不断出现亏空,因为两人都挥金如土。

**虎+兔**

她理智、合时宜,他却只受感情的支配,处世毫无权谋。她文雅、善感,他则冒冒失失,任其自然。端庄的她会被忠诚坦率、令人动心的他所吸引,但当她与他进一步接近时,又会被他的容易冲动和胆大包天所吓坏。他并不欣赏她的忧郁和烦闷不安的性格。他们必须付出很大努力,才能相互容忍。

### 虎+龙

  他们都精力充沛、野心勃勃、果断勇敢、勇于革新，能给予对方很多刺激，但在相互间最初的热情消退之后，谁也不肯坚持到底。她的领导欲很强，总想与他争夺家中的统治权，他则想方设法将她支走，使她无法限制他的行动或逼他驯服，若想成功地相处，双方都应付出很大的努力。

**虎+蛇**

两人都喜欢探询对方的动机,总是注意对方的消极面。聪明实际的她会发现自己明智的行动目标与他完全相反。他认为她嫉妒心、占有欲都太强,而且过于冷静。她不能理解他得不到爱的心情。在理财方面她是个悍妇,他却大方、挥霍。他们难于相处。

### 虎+马

　　协调和睦的婚配。他幽默,善于思考,为人亲切;她柔顺,能够容忍他的反复无常。他们都善于交际、热情欢快而朝气蓬勃。他们的关系是热烈的,都离不开对方的陪伴。他会喜爱她的智慧和灵巧,她能驾驭他驶向更实际的目标。他们都不是过分沉溺于家庭生活的、占有欲过强的人。

### 虎+羊

他爱好交际、复杂而活泼,她习惯于家务、神经过敏、依恋性强。他社交广泛,因此不能专一地满足她的需要,并觉得她过于依赖别人,没有主见。她基本上是理解他的,但如果发现他对她琐琐碎碎的絮叨反应冷淡、敷衍应付的话,她便会沉浸于自我怜惜的情绪之中。他们在缔结婚姻之前,必须学会应付对方才行。

### 虎+猴

虽然他们都是善于交际、充满活力和友好善良的,但却像生活在两个不同的世界当中。他只有在处于主导位置时才是勤奋有力的,如果她也要任主角,他就会感到困惑甚至非常怨恨。神经质的他厌恶竞争性强的她,因为她太有才智、太自信,根本不怕他的恫吓。他们都大手大脚地花钱,但在理财方面她要更加精明慎重。他们的关系是不稳定的,他们都镇定,都想压倒对方,结果谁也得不到好处。

### 虎+鸡

他慷慨好施、坦白大度,她则经济节俭、有条不紊。她漂亮时髦、见多识广、精力充沛,但过于挑剔,反应过火的他使她无法忍受。他十分厌烦她的絮絮不休、百般挑剔和斤斤计较。在她最能表现才智之处,他却表现得不切实际。一个不遵世俗,随心所欲;另一个古怪孤僻,只被理想所左右。他们都全神贯注于自我之中。他们不幸福,总是互相激怒。

**虎+狗**

  理想的伴侣。两人都富有魅力，能吸引人，具有慈爱的气度。他热忱、活跃，容易冲动，性格急躁；而她忠诚可靠、善解人意、热心助人，头脑清醒、有条有理，能制止他的任性。他喜爱并尊重她的踏实和良好的判断力，她则不强求他只钟爱她一人。两人都温和，注意对方的需要，却不侵犯对方的隐私。一对令双方都非常满意的伴侣。

### 虎+猪

他们相互为对方献身,受对方的激励,因而能更加生机勃勃地工作。他们为的是对方,而不是为自己。他们在一起,将有一个幸福的目标。为了虎丈夫的理想,猪太太情愿奉献一切,他则赞美她的勇气和体力。她信任他,与他意气相投,促使他更加追求物质目标来满足她的奢华。他们都是无拘无束的,对性爱充满热情。他们的差别会降到最次要的地位,两人将手拉手走完生命的旅程。

### 鼠+虎

他富有成就感,是个顾家的男人。她充满柔情、心地宽宏,而不落俗套。他们会有很多共同点,诸如喜欢交际、充满活力、兴趣广泛等等。他追求权利和财富,她则喜欢权利和富有带来的显赫和被人认可。不过,他可能会对她突如其来的行动产生不满,她也会挑剔他时时表现出来的吝啬。但他们基本上是乐观的,他们将努力弥合二人间的差异,或者将这种差异降到生活中的次要位置。

**牛+虎**

　　他对成功和成就充满兴趣，她却只对自己感兴趣。他是有实践精神、有组织能力的，她认为他太有远见、太倔强。她感到自己受到忽略时很爱发脾气，而他也控制不住自己的怒气，他对她那种对任何事情都漠不关心的态度感到无法容忍。他们没有共同之处，无法互相理解，有节制的他会因为她的无自制力和随意表露感情而震怒，而她，则被他的冷漠无情所挫伤。她需要的是一个热情的伴侣。

### 兔+虎

他想象力丰富、性格温顺,喜欢致力于脑力的有创造性的工作。她喜欢幻想,喜欢感官的刺激和快乐。对于安逸、单纯的他来说,她实在是太强烈、太富于感情色彩了。而她又认为他太无个性、缺乏感情。他能为她解决遇到的难题,她却可能因粗心大意而不去听取。她能帮助他提高自信心,但他对她教授的方法却并不热心。他们的结合是不合适的,一个人喜欢并追求的,却正是另一个人想回避的。

### 龙+虎

他们不是平静、相安、庸庸碌碌的那一种人。他们都积极向上、勇于开拓，进取精神很强。如果他们了解相互的个性，给予对方充分的自由和表现机会的话，他们可以成为互相激励的伴侣。她能够尊重甚至崇拜他，但决不因此而放弃自我。他如果想训练她服从，那纯粹是自寻烦恼。两人都急躁易怒，都想成为统治者，如果他们能寻求到某种平衡的话，就能维持这种冒险的婚姻。

**蛇+虎**

他们的生活将困难重重,烦乱不堪。两人都不能理解或容忍对方的弱点。他们都感情用事,非常多疑,在生活中无法真正相互信任。他精细、聪颖、坚定,她活跃、不切实际,但能关心别人。自满自足的他厌恶她的不遵惯例、容易激动和坦率直白。而她对他的遮遮掩掩、古怪孤僻和强烈的野心甚感不快。他们根本没有共同语言,也无法交流。

**马+虎**

共性很多，他们因共有着向往生机勃勃的生活和热烈欢快的态度而结合在一起。他爱她活泼的天性，她则为他丰富、生动、自信的举止而吸引，他们都是使人愉快、富于魅力的。他会千方百计地挣钱，她则竭力扮演好容光焕发的女主人形象。他们致力于同一个目标。再没有比这更成功的婚姻了。

### 羊+虎

他是家庭型的人,需要温情和了解;她喜怒无常,不循常规。他很容易被她那些突如其来的发作和戏剧性的表演所伤害。他彬彬有礼,需要家庭宁静舒适,但她生活在忙碌中,不了解他慢条斯理、瞻前顾后的性格。她太强了,非他所爱;他又太弱,把握不住她。他们的结局将是两人不欢而散。

### 猴+虎

不是很和谐的结合,两人都不会在家庭中找到多少幸福。他们两人都是从自己的角度想问题,容易被强烈的成功欲和自尊心所驱使。他行事天生狡猾、乖巧,她在得不到让步时就会发威。双方对任何形式的约束都有些神经过敏,谁也不愿当副手。他们互相心存疑惑,暗地有所保留。其中一人非要专横地来控制另一个人不可,所以总是有谁胜一筹的较量。

**鸡+虎**

这场婚姻五味俱全。两人都是乐观、进取的人,但他们个性不同。对性格丰富的她来说,他太利己、太偏执,而她太好斗,在他的吹毛求疵面前从不让步。换一种环境,他们可能会精力充沛、勤奋用功,但在这场婚姻中,两人却表现得狭隘而顽固。

**狗+虎**

这对配偶是天生的理想主义者,又都乐善好施。丈夫比起生机勃勃且性情刚烈的妻子显得更坦诚、憨厚。当她情绪过于冲动时,他常能给予安慰和劝说,能巧妙运用外交手腕,入情入理地说服她,而不触及其内心的敏感部位。而妻子充满女性色彩的爱及忠诚正是丈夫所喜爱的,她的乐天秉性能活跃她周围的一切。他们各自都享受到安逸和恬静。这是一个美满、恰当的结合,能为双方慷慨、谦逊的美德增辉。

### 猪+虎

　　是恩爱夫妻，令人羡慕的一对儿，彼此都强烈地希望取悦对方。两人感情深厚、精力充沛、进取心强并能互相补充对方的不足。他和蔼可亲、明事理，善于应付妻子那无法预测的好激动的脾气；而她感到丈夫忠实、有胆量、豁达正直。她常为自己大发脾气而遇不到抵抗感到懊恼，此时，丈夫那幽默、宽容的气度便淋漓尽致地表现出来。

【生于春】吉祥方位：西方、西北方
吉祥颜色：白色、灰色、黄色
吉祥饰品：铜锣、金丝眼镜、金表
吉祥密码：酉、申、巳、丑、庚、辛
吉祥行业：从事与"金"相关的行业

【生于夏】吉祥方位：北方、东北方
吉祥颜色：蓝色、黑色、白色
吉祥饰品：孔子铜像、金链、蓝田玉、金笔
吉祥密码：子、丑、申、辰、亥
吉祥行业：从事与"水"相关的行业

【生于秋】吉祥方位：东方、东南方
吉祥颜色：绿色、黑色
吉祥饰品：木鱼、木佛珠、绿宝石、灵芝、竹板平安、人参王
吉祥密码：甲、乙、寅、卯、亥
吉祥行业：从事与"木"相关的行业

【生于冬】吉祥方位：南方、西南方
吉祥颜色：红色、紫色、黄色
吉祥饰品：红木用品、打火机、太阳画、牡丹花、玩具猫、骏马图
吉祥密码：午、寅、戌、巳、未
吉祥行业：从事与"火"相关的行业